Anthony de Mello

¿Es posible el amor verdadero?

Editorial LUMEN
Viamonte 1674
1055 Buenos Aires
☎ 373-1414 (líneas rotativas) Fax (54-1) 375-0453
República Argentina

Proyecto y dirección: Basilio Makar de la Puente
Diagramación: Lorenzo D. Ficarelli
Ilustraciones: María Alejandra Moracci

Los textos de este libro
han sido extraídos de
las siguientes obras de
Anthony de Mello:

• *Autoliberación interior*
• *Caminar sobre las aguas*
• *Práctica de la oración*
• *Rompe el ídolo*

ISBN 950-724-401-8

LIBRO DE EDICIÓN ARGENTINA
PRINTED IN ARGENTINA

Presentación

El amor hace a la esencia del hombre, por ello hablar de él y cuestionarse sobre su realidad es una constante en el buceador espiritual.

Si Anthony de Mello nos dice que cuando el espíritu no está bloqueado, el resultado es el amor, la pregunta que surge inmediatamente es: ¿Y cómo desbloquearlo? ¿Cómo quitar las ataduras del alma que nos impiden ser libres en el maravilloso acto de amar? ¿Cómo desprogramarse para aceptarse y aceptar a los demás entendiéndonos todos como hijos del mismo Padre y por ello una Unidad?

Ser capaces de sentir el amor verdadero, de experimentar ese "estado del ser", es estar seguros de encontrar a Dios.

Cuando perseguimos el camino del amor, estamos entregados a la búsqueda de lo divino.

Pero sabemos que todo esto no es fácil y, por ello, una vez más el padre Tony de Mello nos regala su mensaje. Su palabra como flecha alcanza el centro de nuestra preocupación, sabe mover nuestras fibras más íntimas y con su gran sabiduría nos deja siempre abierto el camino de la reflexión.

Editorial Lumen presenta esta obra que es, como todas las del autor, un sendero más que nos conduce hacia el Creador, pues en ella se explicitan los conflictos cotidianos de los hombres y, como Mello ha dicho, "a Dios sólo se lo puede conocer por la vida, que es su manifestación".

El editor

Ya les hablé sobre la paz, la alegría,
el silencio, la vida y la libertad. Ahora quiero
hablar sobre el amor. Se trata del tema más
difícil, porque el amor es algo tan vasto, que es
casi como Dios mismo, en su dimensión
y misterio. De vez en cuando, parece
que vislumbramos el amor, lo entendemos
vagamente. Pero no creo que nadie entienda
realmente esa cosa misteriosa.

El amor: un estado del ser

El amor no es una relación.
Es un estado del ser.
¿Estás en estado de amor?
¿Lo estás viviendo?

¿Puede definir el verdadero amor?

El amor no es atracción. "Te amo más de lo que amo a cualquier otra persona." Traducción: me siento más atraído por ti que por los otros. ¿Qué tal? Tú me atraes más que los otros. Tú te ajustas mejor al programa de mi mente que las otras personas. Eso no es muy halagador para ti, porque "si mi programa fuese diferente...".
Recuerda a las personas que dicen:

"¿Qué encuentra en ella? ¿Qué ve en ella?"

¡La atracción es ciega!

¿Te sientes atraído por alguien o por algo?

Al entregarse a la atracción, sigue la gratificación.
Y después de la gratificación, el cansancio o la ansiedad:

"¡Espero poder mantener esto! ¡Espero que otra persona no me lo quite!" Sentimiento de posesión, celos, miedo de la pérdida. ¡Eso no es amor!

El amor no es dependencia. Es muy bueno depender de las personas. ¡Si no dependiésemos los unos de los otros, no habría sociedad!

¡Interdependencia! Dependemos del carnicero, del panadero, del fabricante de velas, del piloto, del chofer de taxi, de toda clase de personas. Pero depender unos de otros para ser felices, ahí está el mal.

A veces, vemos a dos personas vacías, dependiendo la una de la otra, dos personas incompletas apoyándose mutuamente. Dos piezas de dominó, una se mueve, la otra cae. ¿Eso es amor? ¡El amor no es compartir nuestra soledad! Las personas se sienten vacías por dentro y se apuran a rellenar el vacío con alguien. Eso no es amor. Para huir del vacío de la soledad, las personas se entregan a toda especie de actividades, al trabajo, a los brazos de alguien. Pero la cura para la soledad no es el contacto con seres humanos, sino un contacto con la realidad.

Al enfrentar la soledad, descubrimos que ella no está allí. ¡No hay ningún vacío! Allí hay algo para ser recordado en el futuro. Lo que buscas está en tu interior. Al enfrentarte con todo lo que hay en tu interior, aquello de lo que huyes desaparece. Y lo que buscas viene a la superficie. El amor no es compartir nuestra soledad. Cuando las personas hablan sobre el amor, la mayoría de las veces están hablando de una mercadería para regatear: "¿Eres bueno para mí? ¡Yo seré bueno para ti! ¿Eres agradable para mí? ¡Yo seré agradable contigo! ¿No eres gentil conmigo? ¡Desgraciado, los sentimientos agradables que yo tenía hacia ti se volvieron amargos!"

¿Eso es amor? Ése es el mercado de las emociones, disfrazado de actitudes de amor.

El amor no es deseo, no es fijación. Apasionarse es el opuesto exacto del amor, pero la pasión está canonizada en todos lados. Es una enfermedad con la que todos están tentados de contagiarnos. Ella se hace oír en el cine, en las canciones de amor. Vi una película en la que una chica decía a un muchacho: "¡Te amo, no puedo vivir sin ti!" ¿No puedo vivir sin ti? ¿Amor? ¡Eso es hambre! ¡Cuando me siento apasionado por ti, dejo de verte! Donde sea que haya una emoción poderosa, positiva o negativa, no puedo ver con claridad. La emoción interfiere y me hace proyectar mis propias necesidades en el otro.

Hablamos hasta ahora de lo que el amor no es y llegamos a la conclusión de que no puede ser dicho lo que el amor es. No se puede decir. Cuando te desprendas de tus miedos, apegos e ilusiones, sabrás. Andamos entre comparaciones.

Amar significa, al menos, claridad de percepción y precisión de respuesta. Ver al otro claramente como es. Eso es lo mínimo que puedo pedirle al amor. ¿Cómo puedo amarlo si no lo veo? Cuando nos vemos, generalmente no nos vemos el uno al otro. ¡Buscamos una imagen! ¿Un marido se relaciona con su mujer o con la imagen que ha construido de ella? ¿La mujer se relaciona con su marido o con la imagen que ha hecho de él? Tengo una experiencia de ti. Esta experiencia está guardada en mi memoria, hago mi juicio basado en la experiencia. La llevo conmigo. Acciono o reacciono en base a eso. No en base a lo que eres ahora. Te miro a través de un retrato.

Cuando vienes a mí y dices, después de un conflicto: "Lo siento mucho por aquella discusión", sería maravilloso que yo no me acordase de nada. De eso hablan los místicos cuando dicen *purificación de la memoria*. Ellos no dicen: "olviden todo", sino "vacíense de emoción". ¡Cúrense del dolor!

Ustedes dicen: "¿Recuerdas cómo estábamos apasionados hace dos años?" ¿Quieres que yo reaccione a eso o a como eres ahora? Cuando se piensa en el amor como inversión, no se sabe qué es el amor.

Amar es como oír una sinfonía. Ser sensible a toda esa sinfonía. Significa tener un corazón sensible a todos y a todo. ¿Puedes imaginar que una persona oiga una sinfonía y sólo escuche los tambores? ¿Dar tanto valor a los tambores que los otros instrumentos queden casi apagados? Un buen músico, que ama la música, escucharía cada uno de aquellos instrumentos; él puede tener su instrumento favorito, pero los escucha todos. Cuando te apasiones, cuando tengas un sentimiento de apego, una obsesión,

¿sabes lo que sucederá?

El objeto de tu pasión se destacará y las otras personas se apagarán.

El amor no es una relación.

Es un estado del ser.

El amor existía antes que cualquier ser humano.

Antes de que tú existieses, el amor ya existía. No puedes hacer nada para conseguir el amor. Si comprendieses tus deberes, apegos, atracciones, obsesiones, predilecciones, inclinaciones, y si te desprendieses de todo eso, el amor aparecería. Cuando el ojo está limpio, el resultado es la visión. Cuando el corazón está limpio, el resultado es el amor.

¿Puede el amor puro y perfecto conducir a la felicidad absoluta?

Dicen que hubo un señor que descubrió en la antigüedad el arte de hacer fuego. Lleno de alegría, quiso comunicar su arte a las demás tribus. Se fue a una tribu del norte, donde hacía mucho frío, y les enseñó el invento. Lo aprendieron en seguida y estaban tan contentos que fueron a darle las gracias al maestro. Pero éste ya se había ido, porque era un gran hombre al que sólo le importaba el bien del prójimo. Entonces fue a otro lugar a enseñar el arte de hacer fuego; pero en esta tribu, primero lo recibieron los sacerdotes, que se quedaron perplejos. ¿De dónde venía la magia con la cual hacía este hombre el fuego? Al ver el éxito que el fuego tenía en la tribu, los sacerdotes tuvieron celos y asesinaron al maestro, pero —para que el pueblo no los culpase— hicieron una gran escultura de él y lo subieron a un pedestal, junto con el invento de hacer fuego, para que toda la tribu lo venerase. Y en aquel pueblo ya nunca hubo fuego, sino veneración y alabanzas.

Es necesario comprender que la verdadera oración es el fuego, y no la veneración ni la

adoración de una imagen. ¿Dónde está el fuego? "Yo he venido a traer fuego para que arda", dijo Jesús. Hay muchos sacerdotes, pero pocos que sepan hacer fuego. El fuego es el amor. Tú no puedes tener el amor, es el amor el que te tiene a ti, y te cambia y te acrisola. La felicidad y el amor van juntos, pero no producen emociones, ni excitación, porque esto es enemigo de la felicidad. Tampoco producen aburrimiento, porque la felicidad nunca harta cuando es, de verdad, felicidad. Y no harta porque existe donde no existe el *yo*. La felicidad es un estado de continua conciencia. Si tú eres consciente de una cosa, la puedes controlar siempre y verla tal cual es. Si no eres consciente, esa cosa te domina.

Sólo si amas serás feliz, y sólo amarás si eres feliz. Y amar es un estado que no elige a quién amar, sino que ama porque no puede hacer otra cosa, porque es amor.

Oír un solo instrumento en la sinfonía del amor, es privarse de la armonía del concierto. Amar es escucharlos todos.

El amor como identificación

Cuando alguien se lastima, es
maltratado, yo digo: "¡Ay!"
Amor como identificación.
Somos millones de personas en
un solo Cristo.

¿Podría explicitar qué entiende por amor como identificación?

Cuando te quiero, te quiero, te quiero independiente de mí, y no enamorado de mí, sino enamorado de la vida. No se puede caminar cuando se lleva a alquien agarrado. Se dice que tenemos necesidades emocionales: ser querido, apreciado, pertenecer a otro, que se nos desee. No es verdad. Esto, cuando se siente esa necesidad, es una inseguridad que viene de la inseguridad afectiva.

Tanto la enfermedad, necesidad de sentirme querido, como la medicina que se ansía, el amor recibido, están basadas en premisas falsas. Necesidades emocionales para conseguir la felicidad en el exterior, no hay ninguna; puesto que tú eres el amor y la felicidad en ti mismo.

Sólo mostrando ese amor y gozándote en él vas a ser realmente feliz, sin agarraderas ni deseos, puesto que tienes en ti todos los elementos para ser feliz.

La respuesta de amor del exterior agrada y estimula, pero no te da más felicidad de la que tú dispones, pues tú eres toda la felicidad que seas capaz de desarrollar. Dios es la Verdad, la Felicidad y la Realidad, y Él es la Fuente, dispuesta siempre, para llenarnos en la medida que, libremente, nos abramos a Él.

"Haced lo que os digo", dice Jesús. Pero no podremos hacerlo si antes no nos transformamos en el hombre nuevo, despierto, libre, que ya puede amar.
Déjame que te cuente una breve historia:

El amante llamó a la puerta de su amada.

—¿Quién es? —preguntó la amada desde dentro.

—Soy yo —dijo el amante.

—Entonces, márchate. En esta casa no cabemos tú y yo.

El rechazado amante se fue al desierto, donde estuvo meditando durante meses, considerando las palabras de su amada. Por fin, regresó y volvió a llamar a la puerta.

—¿Quién es?

—Soy tú.

Y la puerta se abrió inmediatamente.

¿Ud. realmente piensa que sólo aquel que ha alcanzado la iluminación es capaz de amar sin reparos?

En la India, los místicos y los poetas se preguntaron muchas veces quién es la Persona Santa. Y llegaron las lindas respuestas:

La Persona Santa es como una rosa. ¿Se ha oído decir a alguna rosa: "Daré mi fragancia solamente a las personas buenas que me huelan, y voy a negar mi perfume a las personas malas"? ¡No, no! Expandir perfumes es parte de la naturaleza de la rosa. La Persona Santa es como una lámpara encendida en un cuarto oscuro. ¿Puede una lámpara decir que va a iluminar solamente a las personas buenas y esconder su luminosidad de las personas malas?

La Persona Santa es como un árbol que da sombra tanto a las personas buenas como a las personas malas. El árbol da su sombra hasta a la persona que lo está cortando. Y si es aromático, dejará su perfume en el hacha. ¿No es exactamente eso lo que Jesús dice cuando nos manda ser misericordiosos como nuestro Padre celestial, que hace llover sobre buenos y malos? ¿Que hace brillar el Sol sobre justos y pecadores? ¿Cómo podemos llegar algún día a ese tipo de amor?

Por la comprensión, por una comprensión o experiencia mística, ¿Qué significa eso?

¿Ya tuviste la experiencia de que somos millones de personas en un solo Cristo?

¿Cómo alcanzar un estado de espíritu que nos permita amar, a manos llenas, a todos los que nos rodean? ¿Cómo empezar por amarme a mí mismo?

Comienza por lo siguiente: piensa en alguien que amas profundamente. Imagina que esa persona está sentada frente a ti, háblale con amor. Dile lo que significa para ti el que haya entrado en tu vida. Y luego de hacer esto, toma conciencia de lo que sientes.

Cuando te entusiasmes, en el ardor de este ejercicio, cambia al siguiente:

Piensa en alguien que no te gusta. Estás de pie frente a esa persona. Cuando la mires, intenta encontrar algo bueno en ella. Haz un esfuerzo para ver la bondad. Si te resulta difícil hacer eso, puedes imaginar que Jesús está de pie a tu lado y que mira a la persona. Él será el profesor en el arte de mirar, en el arte de amar. ¿Qué se ve? ¿Qué bondad, qué belleza puedes detectar en la persona? Si Jesús volviese a la Tierra, ¿cuál piensas que sería la primera cosa que notaría en la humanidad? La inmensa bondad, la confianza, la sinceridad del puro amor.

En la humanidad hay océanos de bondad entre los seres. Él lo notaría inmediatamente, porque la persona buena ve la bondad en todo lugar. La persona mala nota el mal, porque tiende a ver en los otros un reflejo de sí misma. Imagina a Jesús mirándote. ¿Qué verá?

Pasemos al tercer ejercicio, probablemente el más difícil. Pero si quieres realmente amar, tienes que pasar por él. Imagina a Jesús exactamente ahí, frente a ti. Él habla contigo sobre toda la bondad, la belleza y todas las cualidades que ve en ti. Si fueses como la mayoría de las personas, comenzarás a acusarte, probablemente, de toda clase de defectos y de pecados, y Jesús va aceptar eso. Porque para Jesús ninguna historia es una novela. Cuando Él vio el mal, lo llamó por su nombre y lo condenó. Pero no condenaría nunca al pecador, sólo condenaría el pecado. Piensa en cómo miraba a una prostituta en las páginas del Evangelio. Y cómo miraba a un ladrón, a un publicano endurecido, hasta a los fariseos y a las personas que lo estaban crucificando. ¡Ahí está, de pie, frente a ti! Tú, acusándote de todos tus pecados, y Él aceptando, admitiendo que tienes todos esos defectos. Pero Él comprende, hace concesiones. Esos defectos no interfieren la bondad y la belleza que Él ve en ti. Eso no es difícil de comprender. Piensa en ti mismo. Piensa en alguien que amas. Si miras realmente a esa persona, verás que tiene defectos. Y aun así, esos defectos no impiden tu amor por ella,

ni impiden ver la bondad de ella. Imagina
a Jesús haciendo eso. Y ve qué efectos trae esto
para ti. Acepta el amor de Jesús y de aquellos
que te aman.

Cuando Jesús se encontró con Simón Pedro por
primera vez, el Evangelio nos cuenta que el
Maestro vio en este hombre lo que nadie podía
sospechar que hubiese allí, y lo llamó roca,
piedra. Y en eso se transformó Pedro. Imagina,
entonces, que Jesús está ante ti. ¿Qué nombre
te daría?

¿Cómo amar incluso a nuestros enemigos? ¿Cómo liberarse de prejuicios?

La realidad siempre es concreta, pero los conceptos sólo pueden acercarse a la realidad si son abstractos. Cada uno de nosotros tenemos unas peculiaridades que nos son esenciales —salen de nuestra identidad esencial—; es algo específico lo que hace que cada uno sea uno, y para lo cual no existe adjetivo que lo defina. No sirven las palabras. Entonces, al intuir eso específico de una persona, me formo una imagen y la registro en la memoria, en un recuerdo, la cristalizo en un solo aspecto de su ser, y además queda aprisionada en un concepto que le queda chico, porque es incapaz de definir lo que captó la intuición.

La persona es siempre evolutiva, en movimiento, mostrando distintas y continuas facetas que son infinitas y no se pueden fijar. Párate a escuchar a una persona —pero con la mente limpia de recuerdos y conceptos prefijados de ella— y verás cómo te sorprende a cada instante con facetas desconocidas, siempre nuevas e imprevisibles.

Ahora piensa que, si al hombre no se lo puede clasificar, a Dios que es la Unidad, menos.
Los prejuicios son los que fijan a las personas.
Prueba a verte con ojos nuevos, luego
a las personas más cercanas, luego
a la naturaleza y, así, estarás más cerca
de poder ver a Dios. A Dios sin conceptos,
despojado de los ídolos en que lo convertimos.

Una persona con tantas exigencias y problemas, no puede amar, ni encontrar la felicidad, porque ya tiene bastante con defenderse de lo que cree que la está atacando. En ese estado lo que llamamos amor es egoísmo, amor a nuestro *ego*, interés propio. Nos sentimos tan mal
y con tantos miedos, que sólo podemos mirarnos a nosotros mismos, vigilándonos con recelo porque, en verdad, tampoco nos amamos. Sabes que el amor incondicional es el que te ama así como eres, hagas lo que hagas;
pues así es como Dios ama.

Mira hacia las personas que conoces y que te gustan. Míralas como egoístas, después como tontas. Piensa en las ocasiones en que podrían ser inmaduras y mezquinas, después miedosas y confusas, y por último, inocentes, sin culpa. Mira a las personas que admiras, sobre las que has leído, a las cuales has orado. Jesús,
por ejemplo. Míralas como egoístas, tontas, inmaduras y mezquinas, miedosas y confusas, inocentes, sin culpa.

Piensa en ti mismo. Mírate como tonto, egoísta,

mezquino, confuso, ignorante,
inocente, sin culpa.

¿Hay algunas características que no serías capaz de aceptar ni estarías dispuesto a aplicarte a ti mismo o a ellas? ¿Quedarías desilusionado si lo que se dice sobre ellas o sobre ti fuese verdad? ¿Las amas aún más por todas sus limitaciones y flaquezas? ¿Puedes aceptarlas como simplemente humanas? ¿Las aceptas como personas que se pueden amar? ¿Logras ver cómo Dios puede amar todas las idiosincrasias de todas las personas, así como sus imperfecciones y virtudes?

Piensa en alquien a quien tienes apego. Dile a esa persona: "No te veo como eres, sino como me imagino que eres."

Piensa en alguien que no te gusta. Dile: "No te veo como tú eres, sino como me imagino que eres."

Una vez que hayas alcanzado la concientización y el amor, esa persona no continuará por mucho tiempo gustándote o no gustándote, en el sentido corriente de la palabra. El péndulo no se aferra a los extremos opuestos del reloj.

Solemos escuchar a diario
la identificación entre amor
y deseo. ¿Cree Ud. que son
lo mismo?

El deseo, ciertamente, no es amor. A pesar de ser constantemente confundido con él. El deseo, en una desvariada búsqueda de gratificación, abandona su hogar, su cáscara, buscando incesantemente algo más. El amor está siempre en el hogar, dentro de ti.

Piensa en una persona a la cual estás profundamente apegado, tan apegado que no la quieres dejar. Habla con esa persona en el pensamiento, imagínala sentada frente a ti, habla con ella. Habla amablemente. Di a esa persona lo que significa para ti y después agrega la fórmula siguiente, que al principio puede resultarte dolorosa.
No te fuerces a ti mismo.
Si es doloroso, déjalo para después, cuando seas capaz. Dile a la persona: "¡Qué valiosa eres para mí, cómo te quiero, pero tú no eres mi vida! Yo tengo la vida para vivir, un destino para cumplir, distinto del tuyo." Son palabras duras, pero la vida no siempre es fácil.

Después toma cosas, lugares, ocupaciones, cosas preciosas, de la cuales sea difícil apartarse y diles algo semejante a cada una de ellas: "¡Qué preciosa eres para mí! Pero no eres mi vida, tengo una vida para vivir, un destino para cumplir, distinto del tuyo." Después les dices lo mismo a las cosas más íntimamente ligadas a ti.

Cosas que son casi una parte de tu ser: reputación, salud. Di a la vida misma, que un día será engullida por la muerte: "Qué preciosa y amada me eres, pero tú no eres mi vida. Tengo una vida para vivir y un destino para cumplir, distintos de ti." Con toda esperanza, como resultado de la repetición valiente de esa frase, alcanzarás la libertad espiritual.

El amor como creación

El amante crea el amor.
Él ve la belleza allí y,
porque la ve, la extrae.

¿Es lo mismo sentir amor que estar enamorado?

El enamorarse tampoco es amor, sino desear para ti una imagen que te imaginas de una persona. Todo es un sueño, porque esa persona no existe. Por eso, en cuanto conoces la realidad de esa persona, como no coincide con lo que tú te imaginabas, te desenamoras. La esencia de todo enamoramiento son los deseos. Deseos que generan celos y sufrimiento porque, al no estar asentados en la realidad, viven en la inseguridad, en la desconfianza, en el miedo a que todos los sueños se acaben, se vengan abajo.

El enamoramiento proporciona cierta emoción y exaltación que gustan a las personas con inseguridad afectiva y que alimentan una sociedad y una cultura que hacen de ello un comercio. Cuando estás enamorado, no te atreves a decir toda la verdad por miedo a que el otro se desilusione porque, en el fondo, sabes que el enamoramiento sólo se alimenta de ilusiones e imágenes idealizadas.

El enamoramiento supone una manipulación de la verdad y de la otra persona para que sienta y desee lo mismo que tú, y así poder poseerla como un objeto, sin miedo a que te falle. El enamoramiento no es más que una enfermedad y una droga de aquel que, por su inseguridad, no está capacitado para amar libre y gozosamente.

¿Por qué son tan complejas las relaciones de pareja? ¿Cómo se alcanza la verdadera armonía?

Sólo en libertad se ama. Cuando amas la vida, la realidad, con todas tus fuerzas, amas mucho más libremente a las personas.

Si disfrutas de mil flores, no agarras ninguna; pero si agarras sólo una, no disfrutas del resto. La causa de mi felicidad no es el amigo, pero brota cuando estoy con él. Antes creía que la sinfonía sonaba sólo cuando estábamos juntos, pero ahora veo que la felicidad no es casual.

La felicidad es evidente siempre si no le pones estorbos. Los estorbos más grandes de la felicidad pueden ser los apegos. Lo que importa no es ni tú ni yo, sino la relación, libre de exigencias, del amor. Hagas lo que hagas no tengo miedo a que me ofendas ni a ofenderte. No tengo ningún deseo de impresionarte. Prefiero ser sencillamente lo que soy, con mis formas, y deseo que me aceptes así.

Es precisamente con esta relación como tiene sentido el matrimonio, y no por las promesas ni los contratos. Ya que no te necesito para ser feliz, no te ato ni me ato. Tú eres mi instrumento favorito, pero no renuncio a escuchar los demás. El amor es una sensibilidad que te capacita para escuchar todos los instrumentos, precisamente porque uno despertó más hondamente esa sensibilidad. Y la armonía se logra cuando juntos están disponibles y sensibilizados para escuchar todas las melodías.

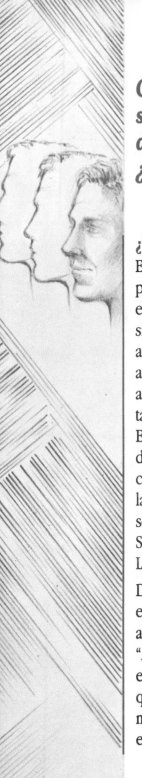

Cuando se ama demasiado, se tiende a querer poseer la vida del otro, a querer compartirlo todo. ¿Es esto el amor verdadero?

¿Qué haces cuando escuchas una sinfonía? Escuchas cada nota, te deleitas en ella y la dejas pasar, sin buscar la permanencia de ninguna de ellas, pues en su discurrir está la armonía, siempre renovada y siempre fresca. Pues en el amor es igual. En cuanto te agarras a la permanencia, destruyes toda la belleza del amor. No hay pareja ni amistad que esté tan segura como la que se mantiene libre. El apego mutuo, el control, las promesas y el deseo, te conducen inexorablemente a los conflictos y al sufrimiento; y de ahí, a corto o largo plazo, a la ruptura. Porque los lazos que se basan en los deseos son muy frágiles. Sólo es eterno lo que se basa en un amor libre. Los deseos te hacen siempre vulnerable.

Donde hay amor no hay deseos. Y por eso no existe ningún miedo. Si amases de verdad a tu amigo, tendrías que poder decirle sinceramente: "Así, sin los cristales de los deseos, te veo como eres, y no como yo desearía que fueses, y así te quiero yo, sin miedo a que te escapes, a que me faltes, a que no me quieras." Porque en realidad, ¿qué deseas? ¿Amar a esa persona tal cual es, o a una imagen que no existe?

En cuanto puedas desprenderte de esos deseos-apegos, podrás amar; a lo otro no se le debe llamar amor, pues es todo lo contrario de lo que el amor significa.

El deseo marca siempre una dependencia. Todos dependemos, en cierto sentido, de alguien (del panadero, del lechero, del agricultor, que son necesarios para nuestra organización). Pero depender de otra persona para tu propia felicidad es, además de nefasto para ti, un peligro, pues estás afirmando algo contrario a la vida y a la realidad.

Por tanto, el tener una dependencia de otra persona para estar alegre o triste es ir contra la corriente de la realidad, pues la felicidad y la alegría no pueden venirme de fuera, ya que están dentro de mí.

Dentro de mí suena una melodía cuando llega mi amigo, y es mi melodía la que me hace feliz, y cuando mi amigo se va me quedo lleno con su música, y no se agotan las melodías, pues con cada persona suena otra melodía distinta que también me hace feliz y enriquece mi armonía. Puedo tener una melodía o más, que me agraden en particular, pero no me aferro a ellas, sino que me agradan cuando están conmigo y cuando no están, pues no tengo la enfermedad de la nostalgia, sino que estoy tan feliz que no añoro nada. La verdad es que yo no puedo echarte

de menos porque estoy lleno de ti. Si te echase
de menos sería reconocer que al marcharte
te quedaste fuera. ¡Pobre de mí, si cada vez
que una persona amada se va, mi orquesta
dejase de sonar!

Suelen decirme que amo hasta asfixiar a quienes me rodean. ¿Es malo amar con tanta intensidad?

A la persona no se la puede desear, porque en cuanto deseas a una persona has dejado de amarla como tal. Yo no soy una cosa. No soy deseable ni indeseable. Soy lo que soy y nada más. Tú llegarás a amar a las personas en cuanto no te importe lo que son las personas. El amor es impersonal. En el amor no se mete la personalidad. El amor *es*, y fluye por medio de ti; tú no lo fabricas y en el amor la persona se queda a un lado. Por eso, el amor te deja libre y disponible. El *yo* es un impedimento para amar. Cuando eliges, o comparas, o pides compensaciones, es porque necesitas a esa persona para amarte a ti mismo. Cuando desaparecen los recuerdos, los prejuicios y las visiones subjetivas, entonces ya surge el amor.

La personalidad, el *yo*, es un impedimento para amar, porque considero a las personas amadas como algo *mío*. Amo a *mi* hijo, a *mi* marido, a *mi* familia, porque son algo mío, distinguiéndolos de los que me quedan más lejos. Entonces estoy cosificando lo más cercano como pertenencias a las que *debo* amar.

Y el amor no sabe de deberes ni de gratificaciones, porque el amor es libre y gratuito. "Te amo, te quiero, te necesito, no puedo vivir sin ti" significan: me aferro a ti porque llenas mi necesidad y mi apego. Eso es egoísmo. El amor existe aunque no haya nadie allí. Es nuestra esencia y se manifiesta en una manera de ser, un estado del alma, y está en consonancia con la capacidad de ver y existir, y en cuanto veamos y seamos nosotros mismos libremente, no podremos ser otra cosa que amor.

Jesús ama así. Tenemos una idea equivocada del amor como algo muelle, dulzón y consentidor. El amor va siempre unido a la verdad y a la libertad, y por eso nunca es débil. Puede ser brusco, pero también puede ser suave y más dulce que nada. Jesús fue amor siempre, y en su vida se manifestó unas veces brusco, duro incluso, y otras tierno, dulce y sensible. El amor da siempre la respuesta acertada, no se equivoca.

Por eso no puedes imitar a Jesús, ¿Cómo vas a imitarlo? ¿Acaso tú eres Él? Cada uno tiene que ser auténtico, ser él mismo, y Jesús lo fue hasta el fin. El día que seas tan auténtico como lo fue Jesús, entonces no tendrás que imitarlo, pues en cada momento sabrás lo que hacer. El día que llegue a ti la iluminación, serás amor y vivirás la eternidad en cada instante.

Las personas solemos jurarnos amor eterno, pero esto suele resultar una falacia. ¿Por qué ocurre?

A veces creemos que es amor y no es más que un modelo cultural aceptado por la mente. No se puede vivir influenciado por el pasado. Lo menos que se puede hacer por el amor es ser sincero, tener claridad de percepción y llamar a cada cosa por su nombre. Ser capaz de dar la respuesta precisa sin engañar ni engañarte. Porque te amo te doy la respuesta, desde mi realidad, que te corresponde a ti y a tu realidad en este momento. Más tarde no sé lo que puede ocurrir, y por ello no te hago promesas que no sé si podría cumplir.

Esto es lo menos que puedes exigirles al amor: sinceridad. La espiritualidad consiste en ver las cosas, no a través de cristales de color, sino tal como son. La espiritualidad ha de nacer de ti; y cuanto más seas tú mismo, serás más espiritual. ¿Quién te tiene que liberar si ni tú mismo eres consciente de tus cadenas?

Las mujeres se atan a sus maridos, a sus hijos. Los maridos, a sus mujeres, a sus negocios. Todos nos atamos a los deseos y nuestro argumento y justificación es el amor. ¿Qué

amor? La realidad es que nos amamos
a nosotros mismos, pero con un amor
adulterado y raquítico que sólo abarca el *yo*, el
ego. Ni siquiera somos capaces de amarnos a
nosotros mismos en libertad. Entonces, ¿cómo
vamos a saber amar a los demás, aunque sean
nuestros esposos o nuestros hijos?
Nos hemos acostumbrado a la cárcel de lo viejo
y preferimos dormir para no descubrir
la libertad que supone lo nuevo.

¿Cómo se hace para volver a ser feliz si se ha perdido al ser amado?

Nunca te enamoras *por* alguien. Te enamoras *por* las ideas esperanzadas y *por* los sentimientos agradables que creas con respecto a alguien.

Nunca confiaste en nadie; confiaste sólo en tu juicio sobre la persona. Cuando tu juicio sobre una persona cambia, se transforma también tu confianza.

Deja que las personas vayan y vuelvan libremente, como si no hubiese diferencia para ti. La más linda redención y libertad se experimenta cuando se deja a las otras personas solas, existiendo, amando y creciendo, y no imponiéndoseles, interfiriendo y amoldando sus vidas. Percibe ahora cómo la interferencia y la estática disminuyen, apenas dejas de fingir interés y preocupación. En verdad, esto no hace diferencia. ¿No se están liberando? ¿No te estás liberando? ¿Notas las exigencias, expectativas y virtudes que abandonaste?

La atracción que brota de nosotros no es amor. Eso que llamamos amor es un gusto por uno

mismo, un negocio de toma y daca,
y de condicionamientos: tanto como me ames te
amaré. Es una dependencia, una necesidad de
lograr una felicidad que nos reclama desde
dentro (porque nosotros somos felicidad
y hemos nacido para ser felices), pero nuestra
propia inseguridad hace que la reclamemos
al exterior y lo hagamos con exigencias,
compulsivamente y con miedo de que se
escape. Lo manifestamos con un deseo
de posesión, de controlar al otro,
de manipularlo, de apegarnos a él,
por la ilusión de creer que, sin él,
ya no podremos ser felices.

El establecimiento de relaciones es sólo posible
entre personas conscientes. Las personas
inconscientes no pueden compartir amor.
Ellas pueden solamente intercambiar deseos,
exigencias, mutuas lisonjas y manipulación.
Prueba tu amor, para ver si él es consciente.
Cuando tu deseo particular es contrariado
o negado por la persona amada, ¿con qué
rapidez tu apego se transforma
en resentimiento?

El amor como entrega

El amor perfecto vence nuestro miedo porque no tiene deseos, exigencias, no hace trueque, no juzga, no ansía negativamente. El amor simplemente es, está presente, ve y actúa.

¿Cómo aceptar a los que nos rodean, tal cual son, y así poder amarlos de verdad?

Los hombres buscan y huyen de muchas cosas, y no entienden que, tanto lo que buscan fuera como aquello de lo que huyen, está dentro. Estás intentando escapar de algo que está dentro de ti: tu inconsciente, en donde están grabadas todas tus programaciones. Y lo que buscas, el amor, la felicidad, están dentro de ti, eres tú mismo. Es el despertar a tu suficiencia lo que va a liberarte. La resolución de todo está dentro de ti, y si consigues ser suficiente, ya has llegado a ser tú mismo. Pero mientras no se te vayan tus neurosis de adormilado, no intentes cambiar el mundo; antes despierta tú.

Mientras duermes y sueñas, ves a las personas y al mundo igual que te ves tú. El día que cambies, cambiarán todas las personas para ti y cambiará tu presente. Entonces vivirás en un mundo de amor. El que ama, termina siempre por vivir en un mundo de amor, porque los demás no tienen más remedio que reaccionar por lo que él los impacta.

Ahora piensa en las personas con las que

ordinariamente vives y trabajas, y en los problemas que tienes con ellos. ¿Sabes la solución? Te voy a decir un remedio mágico, porque no falla nunca: cambia tu programación y todo cambiará. Renuncia a tus exigencias: lo más importante para vivir el presente, tanto contigo mismo como con los demás, es renunciar a las exigencias.

Las exigencias son la fuente de todo problema de relación y convivencia. Exiges que el otro no sea egoísta, que no sea indiferente, y te autoconvences de que lo haces por su bien. ¿Que lo haces por su bien? Y entonces, ¿por qué te molesta su actitud? ¿No será que está reflejando algo que no te permites a ti mismo? No te engañes, llama a las cosas por su nombre. No seas exigente contigo mismo y comenzarás a no exigir a los demás. Sal de esa programación que te tiene prendido en el árbol del bien y del mal y comenzarás a aceptar la realidad sin juicios ni críticas.

Cuando te molesta que tu amigo sea exigente, es que tú lo eres también. Cuando te molesta que no reaccione, no seas exigente y no le pidas lo que no está dispuesto a hacer en ese momento. Pero puedes comprenderlo y no juzgarlo, sino esperar que él sepa por sí solo salir de su pasividad. Eso puede ayudarlo, y en cambio la exigencia no.

No te compete a ti apresurar los resultados, porque tú no estás para arreglar el mundo, sino

para amarlo y comprenderlo. ¿No te das cuenta de que, cuando buscas un resultado y luchas por él, lo que haces es buscarte a ti mismo? Quieres, en el fondo, tener razón y demostrarlo. Olvidas que, para cada persona, la vida tiene reservados un ritmo y una ocasión. Mira a las personas tal como son, respétalas, acéptalas y trata de comprenderlas allí en donde están y dales la respuesta que a ti te corresponde: la del amor y la comprensión.

Piensa en una persona conocida y date cuenta de las veces que le has exigido comportarse de determinada manera, y pídele perdón por haber querido cambiarla. Habla con ella con sinceridad y sin miedos. Puedes decirle algo así: "Tú haz tu propia vida. Yo no voy a enfadarme porque obres de una manera distinta a como yo lo haría. Entiendo que eres libre de hacerlo, pero eso no quiere decir que no voy a protegerme cuando lo crea necesario, pero no voy a protegerte de ti mismo."

Las componendas y alivios son manejos comerciales del *buen comportamiento* que te ha metido en la mente tu sentido de *buena educación*. Si los miras, bien despierto, descubrirás que no son más que utilización, comercio de toma y daca y chantaje, más hipocresía. Cuando ves esto, ¿quieres quitarte el cáncer o tomar un analgésico para no sufrir? Cuando la gente se harta de sufrir es un buen momento para despertar.

Yo no soy nada de lo que creo ser: mis cosas, mi cuerpo, mis sentimientos. Mi yo es indefinible porque no hay nada que lo defina. Cuando yo me relaciono con otra persona, ¿con quién me relaciono?, ¿con una imagen? Cuando me relaciono tengo noción del otro como unas experiencias, unos recuerdos, y con estas nociones construyo su imagen. Así es que no me relaciono con esta persona, sino con la memoria que tengo de ella. Cuando abrazo a un amigo, ¿a quién abrazo? Abrazo un recuerdo. Es así, y lo cierto es que, si yo fijo la persona a la memoria que tengo de ella, la estoy fijando a un prejuicio.

Y así funcionamos por la vida, juzgando por prejuicios. Como consecuencia de ello, si conocemos a una persona sólo por sus hábitos, cuando esa persona cambia, lo notarán sólo las personas despiertas o los que acaben de conocerla, pues para nosotros seguirá fijada a sus hábitos, que son lo que recordamos.

Por ello, nadie es profeta en su tierra, ni entre su familia, por regla general. Porque allí prevalecen los datos anecdóticos, las apariencias, y la persona queda apegada a esos recuerdos, para sus convecinos o familiares. De Jesús dijeron sus paisanos: "¿No era éste el hijo del carpintero?" Y Natanael, antes de conocer a Jesús, dice: "¿De Galilea puede salir algo bueno?" Ponte frente a un amigo y dile: "Te dejo libre

para que seas tú mismo, para tener
pensamientos propios, para seguir
tus inclinaciones, para entregarte
a tus predilecciones, para vivir la vida
de la forma en que quieras. No tendré
exigencias, no quiero que seas como yo deseo.
No alimentaré expectativas con respecto
a lo que tú debes ser o hacer en el futuro."

Di también: "De aquí en adelante, seré libre

para tener mis pensamientos, para seguir...,
para entregarme..., para vivir de la forma
que quiera."

Cuando la relación entre amigos no funciona
lo bien que tú quisieras, puedes aliviarla.
Puedes pararte y comenzar una tregua,
pero si no has puesto al aire estas premisas,
el problema sigue en pie, y seguirá generando
sentimientos negativos.

¿Aceptar implica aceptarse a sí mismo? ¿Dar y recibir amor depende de nosotros o de los demás?

Un día, la bella princesa fue a caminar por el bosque y encontró un sapo. El sapo la saludó muy delicadamente. La princesa se asustó de un sapo que hablaba la lengua de los hombres.

Pero el sapo le dijo: "Su Alteza Real, no soy un sapo de verdad. Soy un príncipe, pero una bruja me transformó en sapo."

La princesa, que era de corazón bondadoso, respondió: "¿Hay alguna cosa que se pueda hacer para quebrar ese hechizo?"

El sapo respondió: "Sí, la bruja dice que si encontrase a una princesa que yo amara, y ella se quedase conmigo tres días y tres noches, el hechizo se rompería y yo volvería a ser un príncipe."

La princesa podía ya ver al príncipe en aquel sapo. Llevó el sapo consigo al palacio.

Todo el mundo decía: "¿Qué criatura repugnante es la que traes?"

Y ella respondía: "No, no es una criatura repugnante, ¡es un príncipe!"

Y mantuvo el sapo consigo noche y día,

en la mesa, en un almohadón mientras dormía. Después de tres días y de tres noches, ella vio al joven y bello príncipe, que le besó la mano con gratitud por haber quebrado el hechizo y haberlo transformado en el príncipe que era.

Ese cuento de hadas es la historia de todos nosotros. ¡De algún modo, fuimos transformados en sapos y pasamos la vida buscando a alguien que quiebre el hechizo y nos recree!

Ud. sostuvo que la actitud humana verdadera es aprender a nadar y no ahogarse con el amigo. ¿Esto quiere decir que si me amo a mí mismo, amaré a los demás?

Pablo afirma que todos somos un solo cuerpo, miembros unos de otros. Ésa es la imagen del cuerpo. Así como mi cuerpo y yo no somos dos, pero tampoco somos la misma cosa. ¡Yo no soy mi cuerpo, pero no somos dos! ¡Y cómo amo a mi cuerpo! Cuando un miembro de mi cuerpo o un órgano está enfermo o sano, yo lo amo de la misma forma.

Entonces, aquí está esa comprensión que es dada a algunas personas bienaventuradas. Ellas son diferentes de las otras, pero no están separadas, son un solo cuerpo.

Dios es el Desconocido, Dios es Misterio, Dios es Amor. Por eso, toda vez que estés amando, estarás participando de la divinidad y de la gracia. En un mundo de conciencia viciada y sospechosa, ¿puedes pensar en un camino mejor hacia Dios?

Muchas veces los padres, por amor, cometemos errores en la educación de los hijos. ¿Es bueno decir siempre sí? ¿Es bueno castigar?

Los niños crecen con la sensación de que los padres están en su contra. Si tú no ejerces violencia con el niño, él tampoco tendrá ganas de ser violento con nadie.

Si los niños no fuesen amedrentados, estarían siempre bien. Ellos pueden oír, aprender, observar, pero ¿por qué añadir temores, miedos, vergüenzas, maldades y pecado a sus experiencias y errores? ¿De dónde aprendemos eso? ¿Recuerdas quién te enseñó la vergüenza y el miedo como valores?

—Ésas no son maneras de comportarse delante de un invitado.

—Disculpa, mamá.

—Pídele disculpas.

—Discúlpeme.

—Me avergüenzo de ti; espero que tengas un poco de vergüenza.

Experiencias y errores son normales y saludables; si no hubiese experiencias y errores, no habría riesgos. Habría sólo la conformidad calculada. Esto no es la vida, ni el sentido de la Creación, ni la experiencia del amor, ni el mensaje del Evangelio. En el corazón de cada joven existe un trono que le ha sido usurpado. Cuando se restituya ese trono, el joven estará curado. Hay que aprender sólo porque se quiere aprender, y para ello hay que respetar y salvaguardar la curiosidad innata del niño. De adentro viene la demanda. Al niño le gusta la enseñanza, lo que rechaza es el método y la manipulación.

Al niño se le enseña desde pequeño a odiar su cuerpo. Se le hace sentir vergüenza por ciertas partes de su cuerpo. Y es nuestra cultura quien lo hace. En las tribus no hay problemas de violación ni de infidelidad, porque no existen traumas sexuales.

Si no hubiera ley no habría pecado. La ley sólo sirve para las personas programadas, para las libres no. No se puede comenzar la vida con autodesprecio. Los niños van pasando de una experiencia a otra cuando se sacian de la anterior. Si tú detienes esa experiencia, se la cortas, haciéndole creer que es algo malo. No sólo provocas un misterio y rompes una evolución natural, sino que habrás metido en él un miedo a algo que desconoce, porque no existe una razón convincente para hacerlo. Si le dices que está mal, lo habrás introducido en la ley expulsándolo del paraíso.

Si yo logro que te odies a ti mismo, me será

más fácil dominarte, domesticarte; y eso es lo que hace nuestra mal llamada educación.

El niño es un ser que nace espontáneo y libre para buscar y aprender desarrollando su experiencia con sus cinco sentidos y la atención alerta para captar la vida. Si sus padres le condicionan a una obediencia y a unas reglas el amor que necesita, perderá su libertad, y por miedo a perder el amor de sus padres, su acogida y sus caricias, comenzará el apego. Tiene miedo a la angustia que le produce el rechazo de sus padres, y sólo por eso se someterá.

Eso es un chantaje afectivo que va a pagar muy caro durante toda su vida. Ese niño crecerá creyendo que el amor, el cariño, hay que comprarlo y tendrá una dependencia y un apego que confundirá con el amor. Su mente estará programada.

Cada niño lleva dentro a Dios al nacer, pero nuestros esfuerzos por moldearlo hacen que convirtamos a Dios en un demonio. Si ves a un niño, verás el egoísmo en forma pura. Sólo es capaz de pensar en sí mismo, pero es natural que sea así. El egoísmo del niño es cosa divina, pues necesita toda su energía concentrada dentro de él. Nosotros intentamos cambiarlo y estropeamos los planes de Dios en Él. Estropeamos su espontaneidad introduciendo en él los miedos. El miedo hace al niño mentir y amoldarse por no perder la aprobación

de los padres. Deja al niño
ser todo lo egoísta que quiera.
El niño sólo piensa en darse placer a sí mismo
y, poco a poco, va descubriendo el exterior y,
con él, el placer refinado de extender su placer
a los otros. Su creatividad se muestra
destrozando todo por curiosidad. Le gustan
el movimiento y el ruido. El conflicto entra
porque no coincide lo que le gusta al niño con
lo que les gusta a los padres.

El niño tiene que crecer, poco a poco,
descubriendo las cosas por sí mismo y a su
tiempo. El niño ha de hartarse primero de
chocolate antes de ofrecerlo. Si te empeñas en
que lo comparta con su hermanito, odiará al
hermanito. En realidad, en todos los niveles,
lo que llamamos caridad y altruismo no es más
que un egoísmo refinado.

El niño nace con toda su capacidad despierta
para agarrarse a la vida, pues la vida es la única
maestra que no se equivoca y lo educa
en libertad.

¿Castigar o no castigar? El amor no castiga
nunca. El respeto no es más que miedo y, de la
misma forma, el castigo no es más que
venganza. El acto de reflexión (que puede ser
incluso violento) no es castigo, sino un acto de
amor, porque lleva en él la curación como fin.

El castigo como venganza es un acto de odio,
que engendra más odio. Cuando el niño no

respeta tu libertad o la de los demás, puedes pegarle una palmada en ese momento, para que asocie de dónde viene el golpe; no hay dificultad, porque él aprenderá y comprenderá, sin dejarle más residuos. El acto comenzó y terminó con un resultado lógico, como ocurre en la vida.

Cuando le echas un sermón que no entiende y percibe tu disgusto y tu rechazo, que sí entiende, y comienza a sentirse culpable de algo que es la *moral*, el *deber* y las *normas*, que él no llega a entender pero que necesita cumplir para tenerte contento, entonces sí le estás haciendo mucho daño. Y si percibe en ti el resentimiento de la venganza, estarás fomentando en él un violento, vengador y resentido; no lo dudes.

Si se sube a un árbol y se cae haciéndose daño, aprenderá a ir con más cuidado otra vez y no tendrá sentido de culpabilidad. De la misma manera, el cachete que le puedes dar inmediatamente lo asociará a lo que acaba de hacer, pero ahí no entran la moral ni la culpabilidad, sino la realidad. Pero hazlo siempre sin estar molesto, para que no haya rastro de recriminación ni de acusación, consciente de que eso es amor. Lo que no te privará de consolarlo si llora, como harías si se cayera del árbol. Esto es lo que lo diferencia.

¿Cómo se hace para ganar el amor de los demás?

Debes poder decir a tus amigos: "No pongas tu felicidad en mí porque yo puedo morirme o decepcionarte. Pon tu felicidad en la vida y te darás cuenta de que, cuando quedas libre, es cuando eres capaz de amar." El amar es una necesidad, pero no lo es el ser querido, ni el deseo. El vacío que llevamos dentro hace que tengamos miedo de perder a las personas que amamos. Pero ese vacío se llena sólo con la realidad. Y cuando estás en la realidad ya no echas de menos nada, ni a nadie. Te verás libre y lleno de felicidad, como las aves.

Lo cierto es que todo es un engaño de la mente. ¡Tú no eres mi felicidad! Es mi ilusión la que me hace creer que, si te tuviera a mis pies, yo sería feliz. Lo cierto es que no necesitas de nadie para ser feliz, y que el amor no es eso. El amor diría: "Deseo disfrutar libremente de ti sin miedo a perderte." Sé que puedo gozar de tu amistad si la tomo tal cual es. El amor se produce en mí y en ti de una forma distinta, y yo no puedo exigir que sientas lo mismo que yo siento.

Tú no puedes exigir a nadie que te quiera, pero en cuanto no seas exigente y sueltes los apegos, podrás reconocer cuántas personas te quieren así como eres, sin exigirte nada, y comenzarás a saber lo que es amor.

Ayudar a los que nos rodean, realizar un verdadero trabajo social no es fácil. ¿Cuáles serían los caminos para brindar amor y ayudar al prójimo?

La religión se ha identificado con el poder, endureciéndose, embruteciéndose, en vez de sensibilizarse con la verdad. La religión no quiere ver la realidad del Tercer Mundo porque, si la viese, tendría que cambiar y soltar su poder.

Cuidar a los pobres no es hacer un programa de ayuda desde el poder, sin sensibilizarse con la injusticia que provoca su pobreza. No se puede hacer un programa de amabilidad y ayuda sin bajar hasta ellos y vivir su vida como hizo Jesús. Desde arriba no puedes ver a los pobres como son. La amabilidad no es sonrisas ni buenas palabras mientras das una limosna. La amabilidad es hacer lo que más conviene a la otra persona, según lo que necesita en ese momento.

El místico es amable, pero no deja de ser enérgico y duro cuando hace falta, y sabe responder, precisamente porque es libre de prejuicios, de miedos, de poderes y de honores y por ello es capaz, en todo momento, de ser fiel a la verdad. Por eso no se amarga nunca ni se altera. Tu acción debe venir de tu sensibilidad, y no de tu ideología. Las matanzas, las injusticias y las guerras provienen de la ideología que ciega a uno a la realidad y lo endurece. La teoría puede servir en algún momento, pero siempre que no desborde u oculte la realidad. Jesús era místico, hombre de vida, y por ello obraba sensibilizado con la vida. Por ello, Jesús, para la gente programada, resulta inconsistente, imprevisto, inaprensible, y asusta. Prefieren hacerse una ideología que se pueda programar y utilizar. Algo que no escape de toda categoría y todo esquema. Jesús predicaba con la vida y eso es muy comprometido.

La conciencia social no existe. El no dejar ver las cosas a los pobres y querer mirarlas nosotros por ellos, es ser adoctrinados, es manipularlos y no respetar su derecho a la liberación por sí mismos. Cuidado de no quitarles su espontaneidad, su alegría y su cultura primitiva, con la idea programada de liberarlos. El trabajo social que no brote de la sensibilidad y el respeto es peligroso. Con el nombre de salvación también existen la utilización, la persecución, la explotación y la crueldad.

Yo he conocido pobres, muy pobres, que se sentían felices a pesar de que no comían más que una vez al día. Ellos estaban a un nivel espiritual mucho más alto que el mío. Sencillez, alegría y vivir libres de preocupaciones futuras es algo que tiene un sentido mucho más real en los pobres que en nosotros, los programados. Ellos están libres de conceptos.

Jesucristo se sensibilizó a la vida y no a la religión. ¿Cómo puedes amar lo que no has vivido y ni siquiera has visto con ojos despiertos? Tu vocación es ser Cristo, no cristiano. Ser sensible y abierto a las personas y a la vida. Ser libre, directo, inconsistente, imprevisible como Él lo fue.

Es una ilusión pensar que alguien pueda hacer el bien a los otros, organizar movimientos eficaces para un mundo mejor o acabar con el mal. Quítate la venda de los ojos. Solamente la concientización personal puede promover a alguien. Los esquemas sociales que pretenden grandes mejoras o la protección de otros, causan frecuentemente enormes daños. ¿Cuál es la diferencia entre un libertario y un terrorista? ¿Cuál es la diferencia entre un espía de la KGB y uno de la CIA, entre la DINA de Chile y el Mossad de Israel? ¿A quiénes están protegiendo, a quiénes están destruyendo?

La violencia trae más violencia. Las personas que están enfermas por beber agua contaminada no quedarán curadas bebiendo más de la misma agua. El remedio está envenenado con la violencia, con el egocentrismo. Deja que las personas sean. Déjate a ti mismo ser. Vive la vida y deja de interferir.

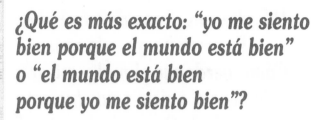

¿Qué es más exacto: "yo me siento bien porque el mundo está bien" o "el mundo está bien porque yo me siento bien"?

Aquí hay un milagroso e infalible camino para cambiar a las personas presentes en tu vida (por lo menos en relación a ti).

Cámbiate a ti mismo. Cuando cambies, ellas cambiarán. El problema no está del todo en ellas, sino en la forma en que interaccionas con ellas.

El problema está en las exigencias y expectativas que tienes para con los demás. Acaba con eso y ve lo que sucede.

Di a cada una de ellas: "No tengo derecho de exigir o de esperar algo de ti."

Y si alguien te exige algo que te molesta, sientes un fuerte deseo de que cambie o se detenga en su actitud.

¿Notas que estás esperando que cambie en vez de cambiar tú y crecer solo? Es muy probable que esa persona esté esperando que tú cambies primero. De esa forma, un abismo se abrirá entre ustedes, y esa relación podrá continuar siendo dolorosa por años, cada uno esperando que el otro cambie o muera.

Ud. cita una frase de san Pablo: "El amor no guarda rencor." ¿Cómo perdonar el mal y mirar a la cara a quienes nos hicieron daño? ¿Cómo darles amor?

Cuando sabes amar es señal de que has llegado a percibir a las personas como semejantes a ti. Nadie hay mejor ni peor que tú. Es posible que el otro haya obrado mal en determinada circunstancia y tú no, pero habrá sido por su programación, o por circunstancias anteriores que ahora le han hecho, por miedo, comportarse así. Todos tenemos las mismas inclinaciones, y la prueba es que, si nos molestan las fallas de los demás es, precisamente, porque nos están recordando nuestras propias fallas, y si nosotros no nos permitimos fallar (o no queremos reconocerlo), ¿cómo vamos a aceptárselo a los demás? En cuanto se reconoce lo propio, ya no molesta verlo en los demás.

De haber sido yo víctima de la violencia, de la represión, de la crueldad o del sadismo y, además, estar drogado por una programación que me da inseguridad y dispara mis deseos de poder, ¿quién sería yo? Sería seguramente dictador, o asesino, o cualquier otra clase de malhechor. Jesús se daba cuenta de que, como todo hombre, no era mejor que los demás. Y lo

dijo: "¿Por qué me llamáis bueno...?" Era mejor porque estaba despierto, con los ojos bien abiertos a la realidad, porque había vivido mucho, conocido a muchas personas y había aprendido a amarlas de verdad, pero sabía que eso no es ser más que los demás. Jesús no rechazaba a los malos, porque los comprendía, pero sí rechazaba a los hipócritas que falseaban la verdad y eran crueles con los débiles.

Lo que rechazaba era su actitud, y se lo decía en la cara para que despertasen. Hasta que no veas inocentes a las personas, no sabrás amar como Jesús.

Piensa en alguna experiencia desagradable que hayas tenido con otra persona.

Piensa en ella como en una oportunidad de oro. Observa a la persona como ella es, no como tú la idealizas. Tener expectativas es idealizar. Crece en el autoconocimiento.

Acepta al otro como es, sin condenarlo o juzgarlo.

Considera un pedido de ayuda la reacción o el comportamiento inconveniente del otro. Él está preso de maquinaciones de su propia mente; preso de su programación, exactamente como tú en el pasado. Él es incapaz de escapar de la ilusión.

He aquí un camino hacia una nueva percepción y conciencia.

Piensa en algo que una persona dijo o hizo.

Ahora ignora la acción y las palabras, y mira más allá de la superficie de los hechos.

Entiende el motivo real, interior. ¿No es gratificante ver con el corazón y la mente, en vez de ser meramente literal o dejarse llevar por prejuicios?

¿Es cierto que no basta con dar amor, que es necesario recibirlo? ¿Existe un modo para acercarse más a los demás, para lograr una mayor aceptación?

El amor es la única necesidad que tiene el ser humano. Amar y ser él mismo. La sexualidad no es amor. El amor dice: "No soy yo quien te amo, sino que es el amor el que está aquí, es mi esencia, y no puedo menos que amar." Eso surge libremente cuando estás despierto y se han caído tus programaciones.

Cuando comprendes que eres felicidad, no tienes que hacer nada. Sólo dejar caer las ilusiones. El apego se fomenta porque tú te haces la ilusión (porque así te lo han predicado y lo has leído en mucha literatura barata) de que tienes que conseguir la felicidad buscándola fuera; y esto hace que desees aferrarte a las personas que crees que te producen felicidad, por miedo a perderlas. Pero como esto no es así, en cuanto te fallan, o crees que te fallan, vienen la infelicidad, la desilusión y la angustia.

La aprobación, el éxito, la alabanza, la valoración, son las drogas con las que nos ha hecho drogadictos las sociedad y, al no tenerlas siempre, el sufrimiento es terrible. Lo importante es desengancharse, despertando, para ver que todo ha sido una ilusión. La única solución es dejar la droga, pero tendrás los síntomas de la abstinencia. ¿Cómo vivir sin algo que era para ti tan especial? ¿Cómo pasarte sin el aplauso y la aceptación? Es un proceso de sustracción, de desprenderte de esas mentiras. Arrancar esto es como arrancarte de las garras de la sociedad.

Habías llegado a un estado grave de incapacidad de amar, porque era imposible que vieras a las personas tal como son. Si quieres volver a amar, tendrás que aprender a ver a las personas y las cosas tal como son. Empezando por ti. Para amar a las personas has de abandonar la necesidad de ellas y de su aprobación. Te basta con tu aceptación. Ver claramente la verdad sin engaños. Alimentarte con cosas espirituales: compañía alegre, camaradería sin apegos, y practicando tu sensibilidad con música, buena lectura, naturaleza...

Poco a poco, ese corazón que era un desierto siempre lleno de sed insaciable, se convertirá en un campo inmenso produciendo flores de amor por todas partes, mientras suena para ti una maravillosa melodía: has encontrado la vida.

Piensa en uno de los pasajes del Evangelio en que Jesús, después de despedir a la gente, se queda solo. ¡Qué hermoso es ese amor! Sólo el que sabe independizarse de las personas sabrá amarlas como son. Es una independencia emocional, fuera de todo apego y de toda

recriminación, lo que hace que el amor sea fuerte y clarividente. La soledad es necesaria para comprenderte fuera de toda programación. Sólo la luz de la conciencia es capaz de expulsar todas esas ilusiones y pesadillas en las que estamos viviendo y, con ellas, expulsar también los rencores, todas las necesidades y los apegos.

¿Cómo empezar? Llamando a las cosas por su nombre. Llamar deseos a los deseos y exigencias a las exigencias, y no disfrazarlas con otros nombres. El día en que entres de pleno en tu realidad, el día en que ya no te resistas a ver las cosas como son, se te irán deshaciendo tus ceguedades. Puede que aún sigas teniendo deseos y apegos, pero ya no te engañarás.

He aquí algunos pasos para llegar a un nivel superior, en donde experimentar el amor; en donde no te dejes fascinar, afectar negativamente o herir por los demás.

Esto te ayudará a vencer el vacío del rechazo y la absoluta inutilidad y superficialidad de la aprobación ajena. Serás capaz de dispensar, de abolir el autoelogio y la autocondenación, una vez establecida su irrelevancia.

Piensa en alguien cuya aprobación deseas. Ve que, en presencia de esa persona, pierdes la libertad de ser tú mismo y de aceptarla como es, porque la necesitas.

Cuando estás solo, ¿de qué presencia piensas que necesitas? Piensa en alguien cuya presencia te sea indispensable para dispersar tu sentimiento de no estar bien. Advierte que en presencia de esa persona no eres libre, porque piensas en ella como necesaria para tu felicidad.

Piensa en las personas a quienes conferiste el poder de hacerte feliz o infeliz.

No te dejes engañar por la ilusión: no necesitas de nadie como bengala emocional. En el momento en que tomes conciencia de eso, nadie más tendrá poder sobre ti. Tus altibajos emocionales acabarán. Pasarás a ser dueño de ti en tus relaciones con los demás. No estarás a merced de nadie. Ahora eres libre. Puedes amar. Restauraste tu espiritualidad y tu humanidad.

A veces siento que no recibo tanto amor como doy. ¿Existe una incapacidad en el hombre contemporáneo para dar amor?

Cuando hacemos favores, si los hiciéramos sin llevar cuenta, no esperaríamos luego agradecimiento; pero llevamos cuenta y luego nos hacemos la ilusión de que lo hemos hecho por altruismo. Si cuando haces algo por otro, lo haces a gusto y eres feliz haciéndolo, ¿por qué esperas entonces correspondencia?

¿Existe el amor desinteresado? Y, sin embargo, es el único al que se puede dar el nombre de amor. ¿Quién quiere ser objeto de un amor sacrificado? Te gusta que el otro disfrute amándote, y también que disfrute al hacerte un favor. ¿Por qué entonces cuando eres tú el que ama o hace el favor esperas una compensación?, ¿no es bastante la alegría de poder amar y compartir con el otro lo que tienes?

La gratitud es un gancho. Nuestra cultura la convirtió en una obligación, y la sociedad de consumo ha montado un gran negocio con ello. "Moyto obrigado" (muy obligado), dicen los portugueses, en una definición exacta de lo que ha llegado a ser el agradecimiento. La cultura contamina lo que toca, porque es un

elemento manipulador. No hagas nunca favores
para que las personas te estén agradecidas.
Ellas percibirán tu ansia de agradecimiento
o elogio, sintiéndose
obligadas a algo, cuando no manipuladas.
Algunos actos alientan la falsa creencia de que
tu fuerza está más en los otros que en ti.
La idolatría es una ilusión que ve un poder
mayor en las fuerzas externas que dentro
de nosotros.

*Aunque creo tener grandes dosis
de amor para transmitir,
no siempre me resulta fácil.
¿Qué hacer?*

La persona inhibida y egoísta está
constantemente preocupada por sí misma. No se
agrada, pasa a ser poco atractiva, pues no revela
sus sentimientos y esconde sus dones; no asume
su parcela de riesgo con los otros, dedica a los
demás pocos pensamientos, no tiene capacidad
de mirar hacia afuera de sí, hacia aquellos que
están a su alrededor. Aprendió a vivir para la
aprobación, que nunca llega a ser suficiente.
La persona inhibida no ama, aunque quiera ser
amada. No existe amor sin compromiso.
Ella continúa cerrada en su caparazón.

Todos los problemas psicológicos se desarrollan
porque no expresamos nuestros sentimientos.
Estamos atemorizados. No sabemos expresar
sentimientos negativos ni positivos. Somos
analfabetos en la expresión de sentimientos.
Tenemos miedo. Podemos hablar sobre nuestros
problemas, no sobre sentimientos.

Nos damos gusto dando gusto a los demás,
porque cada uno se busca a sí mismo.
Así somos todos. Les ponemos nombres

muy liberales a cosas que no lo son, aunque tengan su explicación y su razón. Tendremos que aprender a llamar a las cosas por su nombre para no engañarnos. Cada uno va buscándose a sí mismo, porque si no nos encontramos a nosotros mismos, no podremos salir hacia los demás.

Lo que las personas frecuentemente llaman "amor" es, en realidad, autointerés. Pero como ellas aprendieron a describir este amor en términos virtuosos y a vivirlo de manera aceptable para los otros, a través de los libros o de la obediencia, piensan que su trabajo es puramente un servicio de amorosa dedicación apostólica. Pero esto es también autointerés camuflado de generosidad.

Amar a las personas significa ser completamente feliz aun sin ellas, sin miedo de lastimar, sin interés de impresionar, sin recelo de que dejemos de gustarles o que nos abandonen. No importa lo que ellas digan o hagan.

¿Cómo recibe una persona estímulos emocionales? Expresando sus emociones. Cuando estás físicamente inactivo, date a ti mismo algún estímulo físico, caminando, haciendo gimnasia, etcétera. Cuando estés deprimido, corre un riesgo emocional. Así las emociones volverán a fluir normalmente. Cuando los estímulos emocionales y sensoriales están bloqueados dentro de nosotros, nos deprimimos. Expresa tus sentimientos.

Ve con qué facilidad los niños —no religiosos, no temerosos, no reprimidos— lo hacen.

No necesitarás más que los otros te estimulen emocionalmente. Serás el centro, no estarás escondido tras el árbol. Expresarás tus sentimientos, no confiriéndole exagerada importancia al hecho de que los otros te correspondan o no.

¿Por qué ser tan dependiente de lo que los otros piensan? ¿Por qué dejarse inhibir? Conforme las emociones fluyan, no necesitarás de los otros, ni temerás sus opiniones, expresadas o no.

Habrá tanta gracia y riqueza dentro de ti, y existirá tanta vida y emoción a tu disposición en cualquier momento, que te preguntarás si necesitas realmente de las personas. Una vez que tu temor por una persona en particular termine, serás libre. Puedes desear examinar si transferiste ese temor a alguna otra persona. Sustituimos fácilmente deseos, dependencias, temores. Si así fuese, necesitarías volverte libre de ellos también. El vicio de la aprobación es profundo y se arraiga fácilmente.

Tus inhibiciones eran simplemente miedos. ¿Cómo puedes haber estado tan enojado, lleno de odio, hasta con real miedo de esas personas que decías amar? Porque querías algo que creías necesario para sobrevivir emocionalmente, y querías eso de ellas. Es imposible amar en medio del temor o la desesperación. ¿Quieres aún algo de ellas? La elección es: amor o desear algo; ser libre o desear que los otros cambien. La persona inhibida sufre de estreñimiento emocional. Buenas condiciones físicas requieren una generación interna, o sea, que el alimento genere energía y descarte el excedente. Esto debe pasar en el cuerpo regularmente. Del mismo modo, la generación de sentimientos necesita de descargas continuas. Debemos dejarla fluir. De otra forma, la acumulación psicológica intoxica y la úlcera aparece, insidiosa. A causa de nuestras buenas maneras, de la etiqueta y de la aprobación de la sociedad, contribuimos todos con este estreñimiento interno, que acumula hipocresía emocional. Estas personas no tienen sentimientos, deseo ni alegría de vivir. Hay personas con dificultades para levantarse de mañana; otras se sienten ansiosas cuando necesitan encontrar a otras personas. Encarar el mundo de frente exige emoción, a fin de dejar la seguridad y el confinamiento del útero, así como un cambio de las formas de vida, de la oscuridad e inmovilidad hacia el riesgo y el flujo. En sus esfuerzos por permanecer a salvo y apartado del riesgo de la vida, el núcleo de la personalidad inhibidora suprime la voluntad, toda la energía se vuelve hacia adentro y el flujo de la vida es bloqueado.

¿Debemos ser siempre solidarios, aun cuando no nos sintamos dispuestos a ello?

Hay un juego psicológico, el del triángulo, que se suele llamar el juego del "Sí..., pero...". Es como una transacción entre dos o más personas. Un psicólogo, que era un genio, pensó que tú, en ese juego, irremediablemente haces uno de estos tres papeles del triángulo: *rescatador*, *perseguidor* o *víctima*.

El *rescatador* actúa bajo el influjo de la culpabilidad.

El *perseguidor* actúa bajo el influjo de la agresividad.

La *víctima* actúa bajo el influjo del resentimiento.

Si tú entras en el triángulo, irremediablemente cargarás con las consecuencias: te quemarás.

Supongamos que estoy cansado y necesito tiempo para mí. Y tú vienes a mí con cara de víctima reclamando mi atención. Yo, que soy incapaz de decir que no a nadie, te doy una cita para después de cenar. Inmediatamente me voy sintiendo cada vez más resentido por tu intromisión, me pongo furioso por haberte dicho que sí. Entonces vienes, y me contengo y te recibo bastante bien, pero cuando veo que no son más que banalidades lo que me dices, empiezo a impacientarme y el enojo se me sale por los poros. Así es que, violentamente, te corto para decir: "Pero, ¡para este problema me vienes a molestar a estas horas!" Y estalla la tragedia. Con decirte que no podía atenderte a esa hora se hubiese evitado todo esto; pero al no saber decir que no, hice:

- de *rescatador* cuando dije que sí,
- de *víctima* cuando me dolí por dar un tiempo que no quería dar,
- de *perseguidor* porque te di un palo.

¿Qué hay de bueno en esto?

Pero aún no para allí, pues por la noche me siento culpable y arrepentido; con lo que, por la mañana voy con mucha amabilidad a preguntarte qué tal estás. Y tú aprovechas mi buena disposición para pedirme otra entrevista. ¿Ves el juego? He querido hacer de rescatador y no sólo me he dejado utilizar, sino que, a consecuencia de ello, he pasado a ser víctima y perseguidor y, además, tú sigues con la misma actitud, no aprendiste nada.

La culpa en verdad la tengo yo, por meterme en el juego y dejarme enredar en él, en vez de ser sincero y decir que no puedo. Es como aquel proverbio: "Si dejas la puerta abierta, los que se meten son los fuertes y quedan fuera los débiles." Dejar la puerta abierta para todos, sin discernimiento, es peligroso.

Alardeas de servicial y de bueno y no caes en la cuenta de que no saber decir que no, es de cobardes, egoístas e hipócritas, pues te gusta parecer bueno cuando por dentro estás echando chispas. Todos, alguna vez, dijimos sí cuando deseábamos decir no, y lo hacemos por el sentido de culpabilidad metido en nuestra mente y por las buenas apariencias, por lo que puedan pensar de nosotros. En el pecado llevamos la penitencia.

Sólo el día que no nos importe lo que piensen las personas de nosotros, comenzaremos a saber amarlas como son y darles la respuesta adecuada.

Lo cierto es que nuestro *ego* es el que propicia esa necesidad de que nos necesiten para sentirnos importantes.

¿Cómo hacer para que el amor que siento por los demás se transforme en una ayuda concreta para mis semejantes?

Ponte en contacto con Cristo.

Imagínate a ti mismo inundado con su Vida, Luz y Poder.

Con la imaginación coloca las manos sobre cada persona a la que amas.

Habita en cada individuo.

Pide que el amor de Cristo descienda sobre él, sin palabras.

Velo iluminarse con la vida y el amor de Cristo.

Velo *transformado*.

Al sentirte cansado, regresa a la presencia fortalecedora de Cristo y descansa en ella por un momento. Cuando estés recuperado, regresa a la imposición de las manos.

Haz lo mismo por cada persona encomendada a tu cuidado; por cada persona por la que tengas obligación de rogar; por los "enemigos"; por aquellos que no te gustan; por aquellos a quienes no les gustas.

El poder de Cristo pasa por las manos del practicante hacia cada uno de ellos.

Ora por naciones enteras, por la Iglesia…

Deja la mente en blanco por un momento y permite que el Espíritu Santo sugiera personas o intenciones por las cuales orar. Prodiga los tesoros de Cristo sobre los demás. ¡Son infinitos!

Mientras más los derrames sobre los demás, más crecerán en tu propio corazón.

¿Podría hablarnos del amor a Dios?

Yo creo que, en lo dicho hasta ahora, lo único que he hecho es hablar precisamente de Dios. A Dios sólo se lo puede conocer por la vida, que es su manifestación. Él está en la verdad, y de despertar a la verdad se trata.

Dios es Padre, pero un buen Padre que ama en libertad, y quiere y propicia que su hijo crezca en fuerza, sabiduría y amor.

El hombre se afana en descubrir a Dios, pero no se afana en descubrirse a sí mismo. ¿Cómo es ese hombre que busca a Dios? Si no te conoces a ti mismo no podrás conocer a nadie.

Porque tenemos la palabra *Dios* y asociamos a esa palabra las ideas con las que nos han programado, somos incapaces de descubrirlo en la vida corriente y cotidiana, y en las personas que están pasando a nuestro lado. Los que aman la belleza son capaces de captar a Dios, porque aman la vida y a las personas. Sólo el amor es clarividente.

La mejor manera de acercarte a la verdad es que pases un tiempo mirando el mar, el campo, la

naturaleza y, sobre todo, que repares en las personas como seres nuevos, sin conceptos, sin memoria, y que escuches desde adentro con tu corazón abierto de par en par, comprendiéndolas, amándolas.
Ésta es la mejor oración.

Los cristianos oyen el Nombre de Jesús en la entera Creación, porque el mundo todo fue creado en Cristo y por Cristo.

Escucha (en la imaginación) las olas del mar, los sonidos del río, la brisa entre los árboles, la "música" de las estrellas en el firmamento, el silencio de la noche.

Escucha el Nombre de Jesús. Escucha sonidos mecánicos: motores, máquinas, automóviles.

Escucha el Nombre de Jesús.

Escucha el Nombre de Jesús que resuena en el propio corazón.

Ve el universo entero gritando por Él, moviéndose hacia Él.

El Espíritu y su Esposa: ¡Entra!

Padre Mello, ¿podría recomendar un modo de orar para alcanzar el fuego espiritual, ese del que habla san Juan de la Cruz?

Tranquilízate, entra dentro de ti mismo con la imaginación.

Oscuridad y vacío interiores. Muévete hacia el centro de tu ser. Imagina que ves allí diminutas llamas de amor que apuntan en dirección a Dios, o manantiales que brotan hacia arriba, o movimientos ciegos de amor.

Incorpora una palabra o una frase corta para dar ritmo a este impulso: "Mi Dios y mi Todo"; "Oh, Jesús"; "Abba, Padre"; "¡Oh, Corazón!"; "¡Fuego!"; "¡Dios!"; "¡Amor!"

Escucha la palabra. Oye que crece, que resuena en partes diferentes de tu propio ser: en la cabeza, en el corazón... hasta que todo tu ser resuene con ella.

Luego todo el cuarto, toda la casa, el universo entero.

Un grito nacido de las profundidades del propio ser que se quiebra, como el murmullo de las aguas por todo el mundo.

¿Cuál sería su mensaje final?

El amor de verdad es algo no personal, pues se ama cuando el *yo* programado no existe ya. Esforzarme por ver cómo eres tú, y comprenderte y aceptarte tal cual eres: eso es el amor. Esto no excluye que tenga preferencias. Yo prefiero la relación con determinadas personas porque esa relación es más gozosa, pero esa preferencia ha de dejarme libre para gozar con la amistad de los demás, para escuchar los demás instrumentos. Cada relación tiene un sabor y unas características distintas. Hay proyectos que se dan en una relación y no en otra, pero ninguna de ellas puede, cuando se ama, excluir a las demás.

Cuando amas de verdad a una persona, ese amor despierta el amor a tu alrededor. Te sensibiliza para amar y comienzas a descubrir belleza y amor a tu alrededor.

El enamoramiento, en cambio, es de lo más egoísta. El amor de verdad es un estado de sensibilidad que te capacita para abrirte a todas las personas y a la vida. Y, cuando amas, no hay nada más fácil que perdonar.

Aceptas a las personas que todo el mundo rechaza, y no porque no veas sus fallos, sino precisamente porque los ves como realmente son, de dónde proceden y cómo se parecen a los tuyos, que ya tienes aceptados.

Aceptas también no tener razón, escuchando las razones de los demás con interés. Y, sobre todo, sabes responder al odio con amor, no porque te esfuerces en ello, sino como milagro de la comprensión del amor verdadero, que ve a la persona tal cual es.

Éstas son las tres señales de estar despierto: perdonar, aceptar y responder ante todo con amor.

Índice

Se terminó de imprimir en el mes de julio de 1996
en el Establecimiento Gráfico **LIBRIS S.R.L.**
MENDOZA 1523 (1824) • LANÚS OESTE
BUENOS AIRES • REPÚBLICA ARGENTINA